동쪽 바닷가에는 신비로운 산이 있다.

가끔씩 해변 한가운데서

우뚝 솟은 채

구름을 뚫고 나타나는,

해가 가라앉으면 산속 깊숙이 파고들어

모두가 잠들고、

남쪽 오백 리, 우산에 사는 신은 사람과 비슷하게 생겼지만 머리가 둘이다.

사람들은 겁에 질려、
어두운 산속으로 도망가
길을 잃는다。

다시 동쪽 삼백 리를 가면、
부엉산이 있다。

낮에는 봉우리 속에
고개를 웅크리다가

저녁이 되면
봉우리 사이를 걸어 다닌다。

동쪽 이백오십 리, 기름산에 사는 구더기는

길이가 백 년 자란 소나무와 같다.

비로소 세상을 향해,

그 벌레가 떨어져 죽으면,

터진 머리에서

이만 마리 황금색 파리떼가 날아올라

다시 그곳에는
보름달이 내려앉는 날
자신의 모습을 보며
울기 시작한다.

이 산은 너무 조용해서
나무 자라는 소리가 들리는데,
사람이 이 나무들 사이로
들어가면 사라져서
다시 돌아오지 않는다.

사진 | 전영욱

영화 스틸 사진가. 영화의 한 장면을 계기로 사진을 시작했고,
지금도 영화 속의 한 장면을 기다리며 사진을 찍는다.
《헤어질 결심》(2022), 《킹메이커》(2022), 《도굴》(2020),
《#살아있다》(2020), 《사냥의 시간》(2020), 《나랏말싸미》(2019),
《남한산성》(2017) 등 여러 영화의 스틸과 포스터를 작업했다.

헤어질 결심 포토북
© 2023 CJ ENM CORPORATION, MOHO FILM ALL RIGHTS RESERVED

발행일 2023년 4월 10일 초판 1쇄

지은이 | 정서경, 박찬욱
감독 | 박찬욱
사진 | 전영욱

편집 | 김현호(보스토크프레스), 최원호
디자인 | 주영훈
사진 보정 | 김주원
제작 | 인타임
지원 | 황진하

펴낸이 | 정무영·정상준
펴낸곳 | ㈜을유문화사

창립일 | 1945년 12월 1일
주 소 | 서울시 마포구 서교동 469-48
전 화 | 02-733-8153
팩 스 | 02-732-9154
홈페이지 | www.eulyoo.co.kr

ISBN 978-89-324-7487-8 03680

일러두기

1. 이 책의 사진과 글은 대체로 영화 《헤어질 결심》의 흐름을 따른다.
2. 글은 영화의 대사를 우선으로 정리하되, 일부는 『헤어질 결심 각본』(을유문화사, 2022)에서 발췌하였다.
   단, 도입부 화보에 인용된 『산해경』 구절은 영화에 소품으로 등장한 책의 일부를 옮겼다.

헤어질 결심
포토북

산 가서 안 오면

걱정했어요.

마침내,

죽을까 봐.

마침내⋯⋯

패턴을 좀
알고 싶은데요.

원하던 대로

운명
하셨습니다.

깔끔한

남
자였거든요.

웃지도 못했어요.

또 웃으려고
하더라고요

이 남자,
깔끔한 성격입니다.

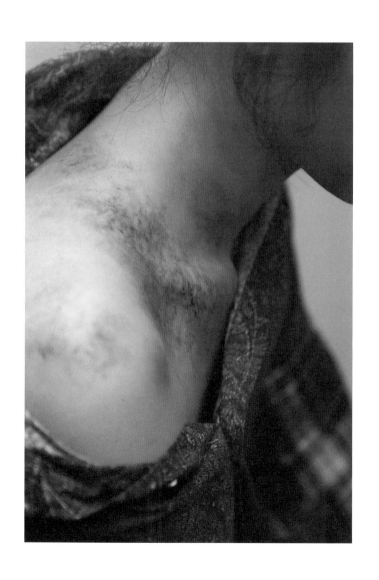

눈에
안 띄는 곳만,

이대로 죽게 두시오.

참,
잔인도 하구나.   서로 밉고도
                                         싫을 때도,

       내가 그렇게
       나쁩니까.
       내가
       그렇게
            나쁩니까.

                 독한 것…
                 독한 것…

무서운 여자예요.
반지 뺀 거 봐요.

슬픔이 파도처럼
덮치는 사람이 있는가 하면,

물 위에 잉크가 퍼지듯이
서서히 물드는 사람도 있는 거야.

아주 쓴맛의 권위자시지.

잠복해서 잠 부족이
아니라,

잠이 안 와서,

잠복하는 거야.

어느새—상상 속에서—그 방에
간 해준, 서래 가까이 서서 관찰한다.
서래의 말소리는 들리지 않고
신체 접촉도 없다.

귀 솜털이 보일 만큼
가까이서,

크게 숨을 들이쉬어
체취를 맡으며.

안녕하세요.

벌써 출근하셨나봐요?

제 번호를 저장해
두셨나 보네요.

죽은 남편이
산 노인

네.

돌보는 일을
방해할 수는

없습니다.

지금 경찰서에 와서
저희한테 디엔에이를
좀 주셔야겠는데요

예……

안 돼요.

왜요?

나 일해요.

괜찮아요.　　괜찮아요.

　　　　　　　　　　　　괜찮아요.　　괜찮아요.

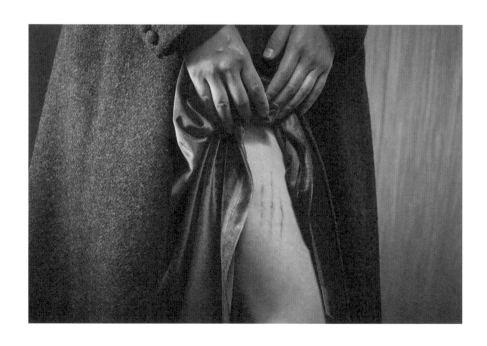

독한 것.

제 얘기 듣고
울어 준,

단일한,
한국 사람.

단일한?

나도 한국어
자신 없을
때는,

　　　　웃어요.

　　　　　　　　제 외조부는…

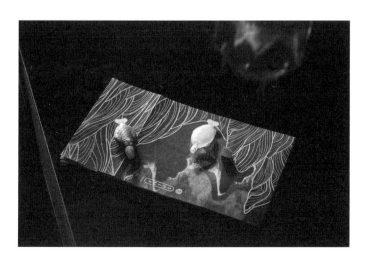

　　　　　　　　연대장 하라 겐야의
　　　　　　　　목을 물어뜯어

　　　　　　　　　　처단한,

산에 안 간다고
때리던가요.

난 인자한 사람이
아닙니다.

산에 안 간다고
때리던가요.

인자한 자는
산을
좋아한다고

공자님 말씀에,

했습니다.

지혜로운 자는
물을
좋아하고

당신이 밤에
누구의 집을 들여다보는지—

당신이 다른 사람을   당신의
땅바닥에 눌러서,   아내는—
주먹으로 열네 번 때리는—

　　　　그 모습,   아나요?

당신의
아내는—

봤나요?

공두 시 삼십 분.
아이스크림을 냉장고에 넣지도 않고

옷도 아무렇게나
　　　　벗어 던져 놓고
　　　　티브이 켜 놓은 상태로　　　불편하게

굿—모닝

굿—모닝

왜 경찰을 집으로
오라마라 합니까?

어차피—
자주
오시지 않습니까.

어머니를
죽이셨다고요?

원하던 방식으로

보내드렸어요.

왜 그런
남자를,

배의 생선 창고에
갇힌 채
열흘 동안—

바다를 떠돌았다.

그때 내
얼굴은 해골 같았고,

나는 미친
사람처럼—

이러고 있었죠.

기뻐요.

기쁜가요?   왜요?

더 이상 우리가······.

우리요?

저녁 먹었어요?

이게
중국식이라고요?

맛은,

좋습니다.

그래서
못 자는 거예요.

죽음
보다—

감옥을 더 무서워하는데?

한국에서는
좋아하는 사람이
결혼했다고

좋아하기를—

중단
합니까?

나 너 때문에
고생 깨나 했지만,   너 아니었으면 내 인생

공—허했다.

죽을
만큼.

좋아한
여자네.

죽을
만큼.

이렇게 좀,

안 전해주셔도 되겠네.

죽을
만큼.

좋아한

여자네.

무슨 일입니까?

재워 주러요.

제
남편도   태우겠습니다.

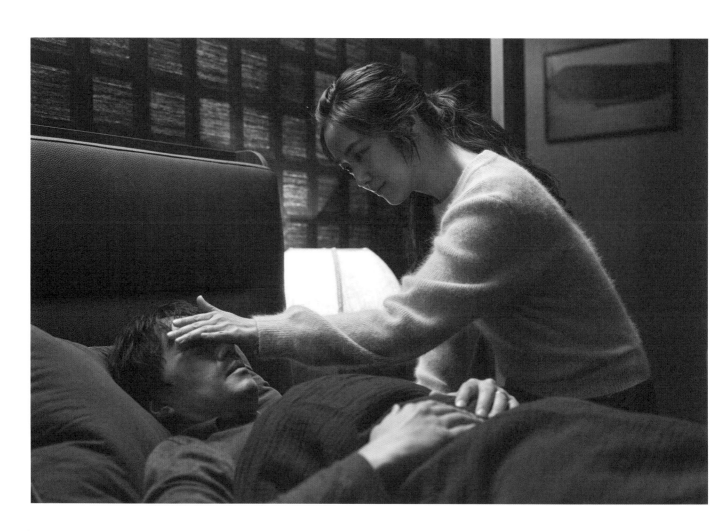

마음,
이라고 했습니다.
심장이 아니라   당신은
                              해파리예요.

                         물로 들어가요.

                         내려가요.

기쁘지도
슬프지도   않아요.
아무 감정도   없어요.

         눈도 코도   없어요,
         생각도   없어요.   내가 다 가지고 갈게요,
                                              당신한텐 이제
                                              아무것도 없어요.

눈도 코도   없어요,
생각도   없어요.

기쁘지도
슬프지도   않아요.
아무 감정도   없어요.

내가 다 가지고   갈게요,
당신한텐   이제
아무것도   없어요.

처음부터
좋았습니다

날 책임진
형사가   경찰치고는
품위 있어서.   품위 있다,

                          한국인치고는?   현대인
                                                치고는.

                     이건가요?

                          남자치고는?

내가 안 보일 땐
안 보고
싶었어요?

　　　　　　　　서래 씨가

나하고　　　　　　　　　　　　　나도 언제나
같은 종족이란 거,　　　　　　　똑바로 보려고

　　　　　　　　　　　　　　　　노력해요.

진작　　　　　　　　　　　　　　　　　　　나는요,

알았어요.　　　　　　　　　　　　　　　깨끗해요.

이 산의 봉우리는
깊이 감추어져,

보려고 하지 않는
사람에겐

보이지 않는다.

여기 사는 구더기는
길이가 백 년 자란
소나무와 같고

끈적끈적한 것이 나와
미끄러지지
않고   산을   오
                                          른
                                          다.

주름이 천 개 접힌
흰 몸은

앞뒤를 분간하기 힘드나

사람들은

긴

대

롱을 내미는   주둥이를 보고   어느 쪽으로

달아날지   정한다.

구더기가
사람을   만나면 기다란 몸으로 휘감고

대
롱을 꽂
아

더러운 세상은

멀리   떨어져 있다,
              이렇게   죽어도 좋다.

원하던 대로.

우리 일을
그렇게

　　　　　　　　　　　　　　　　내가
　　　　　　　　　　　　　　　　당신 집 앞에서
　　　　　　　　　　　　　　　　밤마다

말하지 말아요.　　우리 일,　　　　　서성인 일이요?　　　당신을
　　　　　　　무슨 일이요?　　　　　　　　　　　　끌어안고
　　　　　　　　　　　　　　　　　　　　　　　행복하다고

　　　　　　　　　　　　　당신 숨소리를　　　속삭인 일이요?
　　　　　　　　　　　　　들으면서
　　　　　　　　　　　　　깊이 잠든 일이요?

내가
품위 있댔죠?   자부심이에요.

그런데 여자에
미쳐서—

나는요,
완전히

붕
괴
됐어요.

　　　　　　　　　바
　　　　　　　　　다에　　버려요,

　　　　　　　　　깊
　　　　　　　　　은 ―
　　　　　　　　　데　　빠뜨려서

　　　　　　　　　아
　　　　　　　　　무
　　　　　　　　　도　　　　　　　못 찾게 해요.

안개,
좋아해요.

이 동네
곰팡이를
겪어 보셔야—

여기선
뛸 일이
없어서요.

제가
다음—

남편입니다,

축하해,
살인 사건이래.

사망 추정 시각 십일 시,
스물한 군데 찔렸습니다.

최초 발견자는 부인인데,
데려올까요?

분노로 이글거리는 해준,

삐죽삐죽한 바위 위를 위태롭게 걷는다.
해무에 가려 어렴풋하게 보이는—

서래가 돌아본다. 창백한—
습기 때문에 얼굴에 달라붙은—

해준은 그녀가 끔찍하다,
살인범임을 확신하는데도
너무나 사랑스러워서.—

뒷모습.

　　안색,
머리카락,
　　　눈에는 눈물이 가득.

감정을 꾹꾹 누르며.

이럴려구 이포에 왔어요?
여기서 죽이면
내가 또 눈감아 줄 것 같아서?

내가 그렇게
만만합니까?

내가
그렇게,
　　　　나쁩니까?

왜 그런 남자하고
결혼했습니까?

다른 남자하고

헤어질 결심을 하려고,
했습니다.

난 이럴 거 같아요.
거, 참 공교롭네.

뭐라고 할 것 같아요?   참 불쌍한,
여자네.

잠은 좀 잡니까?

한 시간에
마흔일곱 번 깬대요.

믿어져요?

건전지처럼
내 잠을 빼 주고 싶네요.

숨을—입으로 쉬어서,

이상해요.

알아요.

한국
가면

네

산이

있다.

민음직한 남자

데려왔어.

지금 농담할 땝니까?

날 떠난   다음
스스로   불행하다고

                         느끼지 않으셨습니까?

             당신은   내내 편하게 잠을

                                        한
                                        숨도

                                        못 잤죠?

       억지로
       눈
       을
                         감아도

       자꾸만   내가 보였죠?

당신은
그렇지

않았습니까?

우연히 나와 만났을 때,

당신은   다시

사는
것

같았죠?

마침내.

궁금하죠?
아니, 안 궁금하댔나?
그래도 말하겠습니다.

아마 살아있는 느낌이
아니었을 것이라 짐작이 됩니다.

꼿꼿해요.

마침내.

붕
괴
　　이전으로 돌아가요.

벽에
내 사진
붙여 놓고,

　　　　　잠도　　못─자고

　　　　　오로지
　　　　　내 생각만 해요.

비켜 줄래?

그럼 우리
그 문젠
어떡해?

뭐.

밉고 싫을 때도
매주 하기로
한 거?

좀 비켜 줄래?

당신은,

죽인 적이

있습니까?

예.

죽였습니까?

아니오.

당신 목소리요,
나한테 사랑한다고
하는.

　　　　　　　　　　　　내가요?

너무
좋아서

자꾸 들었어요.
그걸
알아 버렸어요.

내가 언제

사랑한다고 했어요?

우리 일,
무슨 일이요?

우리 일을
그렇게   말
       하지 말아요.

你说爱我
你的爱就结束了。
你的爱结束的瞬间、
我的爱

的瞬间、

就开始了啊。

날　　사랑한다고　　　　　　　　말하는 순간
당신의 사랑이 끝났고
당신의 사랑이 끝나는 순간
내 사랑이　　　　　　　　　　시작됐죠.

날　　사랑한다고　　　　　　　　말하는 순간
당신의 사랑이 끝났고
당신의 사랑이 끝나는 순간
내 사랑이　　　　　　　　　　시작됐죠.

내가 당신 집 앞에서
밤마다 서성인
일이요?

당신 숨소리를 들으면서

깊이——
잠든 일이요?

당신을 끌어안고
행복하다고 속삭인
일이요?

내가 품위 있댔죠?
품위가 어디서 나오는 줄
알아요?

참 쉬웠겠네요?

내가 알아서
다 도와주니까?

저 폰은

바
다에   버려요,

깊
은 ㅡ
데   빠뜨려서

아
무
도   못 찾게 해요.

바다에 버려요,
깊은—곳
빠뜨려서
아무도

못 찾게 해요.

扔进海里吧。
扔到很深很深的地方、
谁也找不到。

바
다에   버려요,

깊
은
ㅣ
데   빠뜨려서

아
무
도   못— 찾게 해요.

바
다에
깊은
데   버려요,

서래 씨.

우리가
쓰려고 한 건

자연의

일

박찬욱
정서경

* 이 글은 『헤어질 결심 각본』 출간과 더불어 박찬욱 감독과 정서경 작가가 진행한
대담 중 주요 내용을 정리한 것이다. (출처: 을유문화사 유튜브)

정서경 저와 감독님은 칠십 퍼센트 정도는 비슷해서 함께 잘 굴러가는 것 같아요. 제가 무언가를 이야기하면 감독님이 곧바로 그 다음 걸 이야기하시고. 딱히 서로 설명할 필요도 없고요. 하지만 서로 다른 삼십 퍼센트 때문에 작업이 흥미롭게 유지되는 것 같아요. 감독님이 모호한 부분에 대해서 쓰신다고 하면 저는 명확한 부분을 담당하고 있습니다. 우리 둘 다 부족한 부분은 제가 커버하고 있고요.

박찬욱 우리 둘 다 부족한 부분을 어떻게 커버하지?(웃음) 제가 재밌다고 생각하는 걸 주변의 누구도 동의해주지 않을 때, 정서경 작가는 그걸 알아봐 주는 사람이죠.

정서경 제일 충돌했던 건 해준의 캐릭터에 대해서였어요. 처음에는 해준의 사랑이 서래에 비해서 부족하지 않은가 생각했어요. 서래는 자기 목숨을 걸고 사랑하는데, 해준은 자부심만 걸 뿐이니까요. 이건 불공평하지 않나. 서래는 목숨을 버리면서도 해준의 품위를 살려 주고 싶어하잖아요. 서래의 입장에서 생각하면 너무 원통한 마음이 드는 거죠. 그런데 시나리오를 고쳐 가면서, 또 해일 씨가 오면서 조금씩 변해서 어느 순간 제가 설득이 되었어요. 영화를 보고 나중에 알았어요. 아, 어떤 사람은 자부심을 잃고 살아가는 게 죽는 것보다 힘들 수 있겠구나. 그러다 보니 어느 순간에 균형이 이미 맞아 있더라고요.

박찬욱 나는 각본에서 완벽하게 이해하지 않더라도 연기로 메울 수 있다고 생각했어요.

정서경 그리고 정안에 대해서도 감독님과 의견이 엇갈렸어요. 영화에 나오는 순간이 많지는 않지만 정안의 세계가 있다고 믿었어요. 그런데 시종일관 그 세계의 아주 일부만 드러나기 때문에 우리는 정안을 쉽게 어떤 사람이라고 단정하는 거예요. 그래서 단 한 번쯤은 정안의 세계를 나타내 보여주고

싶었고, 해준에게서 안정적인 가정을 빼앗고 싶었어요. 그래서 저는 정안이 해준과의 결혼 생활을 회고하면서 문을 쾅 닫고 나가는 장면을 썼어요. 그런데 감독님이 그렇게 하면 정안이 너무 무섭고 비호감일 것 같다고 하면서 갑자기 이 주임을 남자로 하면 어떠냐고 제안하셨던 거죠. 그걸 반박하지 못했어요. 너무 웃겨서. 그때까지만 해도 긴가민가했는데 감독님이 그 대사까지 덧붙이시는 바람에. "일주일에 한 번씩 싫을 때도 하자는" 거요. 저는 솔직히 그 대사가 좋지는 않았어요.

박찬욱 그렇지만 "좀 비켜줄래?"는 좋지 않아요? 난 그 대사는 정말 마음에 들어요. 그리고 이정현 배우가 연기를 잘했어요. 그리고 호미산은 오랫동안 고민을 했어요. 우리가 트리트먼트를 함께 만들었을 때는 그 장면이 없었단 말이죠. 정서경 작가가 초고를 쓸 때 갑자기 만들어서 온 거예요. 장면은

재밌는데 이때쯤 되면 관객은 마무리 수순으로 들어가는 걸 본능적으로
느끼게 되는 타이밍이죠. 그런데 갑자기 새로운 장소가 나오고,
이게 또 영화가 길어질 것 같고. 아니나 다를까 길어졌지. 그렇지만 결국에는
뺄 수 없었어요. 각본에서나 편집에서나. 그래서 그 장면은 여러모로 두고두고
생각해 봐야 할 장면이에요.

정서경 이게 전체적으로 하강하는 이야기더라고요. 산꼭대기에서 내려와서
바다로 가는데, 저는 클라이맥스가 필요하다고 봤어요. 관객이 영화가
끝나간다고 느끼기는 하지만, 누구나 높이 올라갔다가 떨어지길 원한다.
사실 이 플롯이 아주 익숙해 보이지만, 특별하게도 두 개의 봉우리가 있어요.
먼저 구소산 꼭대기에 올라가서 쭉 내려오다가 다시 호미산에 올라가죠. 작가
입장에서 보면 꼭 올라가야만 하는 타이밍이었고, 알지 못한 이유로 제가 그
장면을 쓴 거죠. 처음에 감독님은 "이야기가 왜 산으로 가?" 그러셨잖아요.

박찬욱 색보정할 때 컬러리스트에게 이 호미산 장면이 나올 때쯤에는
관객이 졸릴 거다. 그러니까 컬러나 콘트라스트나 채도, 이런 모든 것들을
흐리멍덩하지 않게 해 달라고 했어요. 안개 낀 이포와는 구별되게. 쌩한 공기,
차갑고 맑은 공기를 느끼고 싶은 장면이기도 하니까. 그런데 제가 계속 다른
장면들과 구별되게 해 달라고 했더니 컬러리스트가 화를 내는 거예요. 제일
좋아하는 장면인데 왜 졸리다고 하냐고 하더라고요. 저도 제일 마음에 드는
장면이라 할 수 있는데요. 영화를 길어지게 했고, 하필 지루해질 수 있는
위치에 있었죠.

정서경 다른 영화를 볼 때는 이제 영화를 보면 시나리오가 이렇게 쓰였는데
저렇게 했구나, 배우가 잘했구나, 미술이 좋구나, 이런 식으로 생각하는데
이 영화는 스크리닝이 끝나고 나서 "내가 이걸 썼다니" 하는 생각이 들었어요.
그런데 끝에 느낌표가 아니고 물음표가 붙었어요. "내가 이걸 썼다니?"
각본에는 분명히 해준이 바닷가를 헤매고 있을 거 아니에요. 근데 약간 저는
영화를 보는 일반 관객과 똑같은 입장에서 정신을 차려보니 바다 한가운데
내가 서 있고 물이 허리까지 들어왔더라, 약간 그런 느낌으로요. 저는 이제
결말을 아니까 서래가 차를 세워 놓고 갈 때부터 기분이 좀 이상하더니,

저도 바다에 서 있더라구요. 헤매고 있고,
마치 두 시간 동안 뛰던 심장이 마치 서래와
묻힌 것 같은 느낌. 그래서 그것에 대해서
되게 오래 생각했어요. 왜 그렇게 느꼈을까?
처음에는 파도 때문이라고 생각했어요. 파도가
너무 좋았다. 내가 파도가 친다고 써놨지만
그런 파도가 칠 줄은 몰랐으니까 맞아요.
그리고 또 소용돌이가 너무 좋았어요.
소용돌이는 쓴 적이 없는데 이게 마치 영화가
끝나고 난 다음에 내 마음이 빠져나가지 못한

물처럼 소용돌이치는 것 같더라고요.

박찬욱 탕웨이는 그런 표현을 썼어요. 자기는 서래가 해파리가 됐을 것 같다고. 그리고 각본하고 완성된 영화가 멀게 느껴졌던 이유에는 박해일의 비중이 크죠. 좀 예상하지 못한 방식으로 연기를 해요. 적어도 내 생각에는 그래. 그 다음에 탕웨이의 한국어 억양과 발음을 상상할 수 없기 때문에 그게 막상 배우의 입에서 발음됐을 때 이 영화의 인상을 결정하는 면도 있죠.

정서경 좀 지나니까 어떤 생각이 들었냐면 시나리오를 쓰는 과정에서 의도하진 않았는데 어떤 순간에 우리가 약간 영화의 이야기의 영역에서 조금은 원초적인 신화의 영역으로 한발짝 들어간 것 같다는 생각을 했어요. 해준이 바닷가에서 헤매고 있을 때 저도 모르게 그 오르페우스 있잖아요. 지옥과 이승 사이에서 아내를 찾아 헤매는 남자가 떠올랐어요. 해준이지만 오르페우스인 거고, 또 그게 어느 순간에 우리 자신이니까. 우리가 바닷가에서 헤매고 있다고 느끼잖아요. 해준은 사랑하는 사람을 잃어서 헤매는 남자이지만, 제 느낌으로는 자기 자신을 찾아서 헤매는 것처럼 보이기도 했어요. 서래는 사랑하는 사람인 동시에 해준 안에 숨겨져 있던 자기 자신, 혹은 어느 순간에 포기해야 했던 야성 같은 걸 수도 있죠. 그걸 땅에 묻어 놓고 계속 찾는 사람처럼 보이더라고요. 서래는 바로 자기 발 밑에 있잖아요. 그래서 우리 역시 '바로 내게 있잖아, 그런데도 찾아 헤매고 있잖아' 하는 생각이 드는 거죠, 단순히 연인을 잃은 사람이 아니고 자기 안에서 자신의 일부를 찾아 헤매는 사람처럼 보이더라고요.

정서경 물론 다른 영화들도 다 어느 정도는 다 메타포죠. 그런데 그 영화들은 왜 신화적인 느낌이 들지 않고 이것에는 왜 그런 느낌이 들었는지 생각해 봤어요. 저는 그게 탕웨이 배우의 힘이 크다고 느꼈어요. 처음부터 끝까지 탕웨이가 하는 일은 '받아들이는' 거예요. 중국에서도 모든 걸 받아들였겠지. 죽여 달라는 엄마의 말까지 받아들이고, 폭력적인 남편도 받아들이고, 뭐 경찰이 뭔가를 하려고 그래도 받아들이고. 또 반면 변명이나 이런 걸 하지 않고 모든 걸 다 흡수하더라고요 그게 우리를 끌어들이는 어떤 약간 탈 인간적인 인간의 주변에 머무는 정령처럼 보이더라고요

박찬욱 변명해요. (철성 엄마를 살해하고) "나한테 고맙다고 하셨어요" 그런 거.

정서경 설명하지 않으면 안 될 때만 말을 하고, 마지막에 자기가 죽을 때도 변명하지 않잖아요.

박찬욱 그때 연기 너무 좋았어.

정서경 그리고 마지막 장면에서 그렇게 느낀 것 이유 중 하나는 감독님이 연출하신 방식 때문일 거예요. 일반적인 라스트 신이라면 주인공이 죽기

직전에 먼 바다를 바라보면서 눈물이 고이거나 하는 표정을 클로즈업 했겠죠.
그러면 우리는 그 사람이 되어서 슬퍼하거나 인물의 감정을 느끼는데,
이 영화에는 그런 장면이 없거든요. 약간 멀리서 서래가 술 마시는 장면과
손 정도만 나오기 때문에 마지막에 관객이 느끼는 슬픔은 주인공의 슬픔이
아니에요. 다들 '그 여자가 불쌍해서' 눈물이 났다고 말하죠. 그러니까 '나를
위해서' 운 게 아니고 '다른 사람을 위해서' 나오는 종류의 눈물은 나오는 곳도
다르고, 온도도 다른 것 같아요. 가슴이 아프잖아요. 눈시울이 뜨거워지는 게
아니라. 심지어 탕웨이조차도 서래가 불쌍해서 눈물이 났다고 하니까요.

정서경 저는 이야기의 시작부터 좀 이야기가 쉽게 풀렸거든요. 감독님이
'한 형사의 구역에 와서 두 명의 남편을 죽인 여자 얘기'를 해보자, 이렇게
저한테 메일을 보내셨어요. 제가 그걸 하겠다고 했을 때 제일 먼저 생각한
건 '어떻게 죽일까'였어요. 첫 남편을 죽이는 방식이 폭력적이지 않았으면
했어요. 예를 들어 칼이나 총이나 그렇게 피를 보는 방식이 아니라
마치 사고처럼, 그리고 또 자기도 그만큼 고생을 해야 하는 방식이어야
피해자가 아주 억울하지 않을 것 같았거든요. 그렇게 생각하니 그냥 산에서
죽었으면 좋겠다 했어요. 거기서 출발하니 모든 게 쉽게 풀린 것 같아요.
첫 남편은 산에서 죽었으니 다음 남편은 바다에서다, 이런 식으로
계속 이어져서 쉬웠고요. 한편으로 제가 지닌 선입견 중 하나가 저 사람은
어디서 왔을까 생각하는 건데요. 마치 인간을 농산물이나 수산물인 것처럼
구분하는 거죠. 이 구분에 따르면 저는 산에서 온 사람이고 저희 남편은
바다에서 온 사람이에요. 실제로 저는 산에 별로 자주 가지 않고 저희 남편도
바다에 자주 가지 않아요. 그런데 이상하게 저희 남편은 쉬는 시간이면
낚시TV를 보고 저는 산에 대한 책을 읽는단 말이에요. 낚시할 줄도 모르는데
늘 낚시와 바다에 대해 찾아보고 만약에 휴가를 가면 바다로 가고 싶어하죠.
공항에 내려서부터 바다 느낌이 느껴지면 숨쉬기가 편하대요.

박찬욱 제가 무신론자인데 목사 설교하는 영상을 보기를 좋아하는 거랑
비슷하네요.

정서경 맞고요. 저는 산악 지방에 갔을 때 비행기에서 침엽수림을 보기만 해도
너무 가슴이 뛰어요. 집에 돌아왔다는 느낌?. 약간 그렇게 생각해 본 거죠.
서래는 산에 살았는데 원래는 바다에 속해야만 하는 사람.『산해경』처럼
생각해 보자면 산에 사는 사람들은 키가 크고 손톱이 날카롭겠죠.
산에 올라야 하는 사람이니까. 바다에서 온 사람은 피부가 매끈하고 비늘이
있고 아가미가 있고, 걸을 때마다 통증이 느껴질 수 있고요. 서래는 바다에
사는 사람처럼 생겼는데 산에 있었으니 얼마나 고통스러웠겠어요. 그래서
자기가 죽기 위해서 저는 바다로 왔다고 생각해요. 서래가 어느 순간에
바다에서 죽겠다고 선택한 게 아니라, 산에 살았을 때부터 동물처럼 집에
돌아가고 싶은 욕망을 지닌 것. 바다로 돌아가서 죽어야겠다는 내용은
꽤 자연스럽게 만들어진 플롯인 것 같아요.

박찬욱 『산해경』부분을 편집한 건 러닝 타임 때문이죠. 미술팀에서 만든
소품도 아까웠지만 어쩔 수 없었고요. 물론 뭐 완전히 버리진 않았고
펼쳐 보는 장면이 하나 있었죠. 이게 호미산까지 이어지고 흘러가서 완결되는
건데 아쉬웠어요. 영화에서 극중 인물이 쓴 것으로 설정된 것을 배우에게 직접
쓰도록 할 때가 많아요. 탕웨이 씨가 우리보다 훨씬 예쁜 글씨로 한글 중국어
영어로 막 다 공부한 흔적을 봤어요. 그래서 쓰게 했죠.

정서경 호미산에 대해서 『산해경』에서 설명하잖아요. 이 산이 밤에 남들이
안 볼 때 걸어다닌다는 내용이 좋았어요. 꼭 서래의 뭔가를 보여주는 것
같아서. 우리가 서래를 보고 있는 것 같지만, 우리가 안 볼 때 서래는 어딘가로
가고 있다는 느낌이 들었는데 아쉬웠죠. 하지만 저는 영화에 대한 아쉬움은
솔직히 없어요. 시나리오를 써 놓고 영화를 볼 때, 어떤 부분이 질러 나갔지만
결국은 더 응축되거나 해서 아무 문제가 없으면 기쁘죠. 아 맞다, 그건
좀 궁금했어요. 서래의 외할아버지가 사실은 독립운동을 하기 위해 서래의
집에 하숙생으로 있던 사람인데, 서래의 친외할머니와 외할아버지가
항일 운동으로 죽자 서래 엄마를 입양해서 키운 거라는 설정이 있었죠.
약간 복잡하지만 의미가 없진 않았어요. 당연히 피가 섞인 게 뭐가 중요하냐고
항변할 수도 있지만.

박찬욱 한국 영화에 중국인 배우를 출연시킬 때, 한국 사람하고 피가 섞였다는
식의 연결 지점을 만들면서 정당화하려고 하는 것처럼 보이기 싫었거든요.
그냥 중국 사람이면 좋겠다고 생각했어요. 그것 외에도 해준의 인생이 서래에
비해서 충분히 망가지지 않았다는 의견을 반영한 후일담을 쓰기도 했죠.
해준이 기도수 살인 사건을 은폐하는 잘못을 저질렀다는 걸 스스로 인정하고
증거를 제출하는 내용이에요. 증거를 제출하고 붕괴 이전으로 돌아가
재수사하라는 서래의 말을 받아들여서 징계를 받고, 뭐 그런 거죠.
감찰반 사람 앞에서 마치 서래처럼 심문당하는 장면도 쓴 적 있었죠.

정서경 지금 생각해보면 그게 되게 사소한 결말처럼 느껴져요. 그건 인간의
일이고, 우리가 쓰려고 한 건 자연의 일이죠. 이 남자가 바다를 헤매는 것에
비해 경찰의 징계를 받는 일은 좀 사소한 것 같아요.

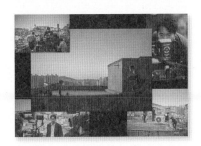

졸지 말아요、 조금만 참아요。 여기는 안개 없어요。

노래 틀어 줘, 〈안개〉

어떻게 알아? 이 구닥다리 노래를.

서래 씨,

이대로 죽어도 좋다. 더러운 세상은 멀리 떨어져 있다.

서래 씨、

이 남자가 바다를 헤매는 것에 비하면,
좀 사소한 일이죠。

서래 씨、

당신한텐 이제 아무 것도 없어요。

다시 바다에 버려요。

깊은 데 빠뜨려서 아무도 못 찾게 해요。

서래 씨,

당신 목소리요.
너무 좋아서 자꾸 들었어요.

사랑은 용맹한 행동이야.

말로만 사랑은 무슨、

마침내.

서래 씨、

난 바다가 좋아요.

참 공교롭네、

참 불쌍한 여자네、

서래씨、

벽에 내 사진 붙여 놓고、

잠도 못 자고、

오로지 내 생각만 해요。

서래 씨、

서래 씨,

참 불쌍한 여자네.